尊重生命　亲近自然

给热爱科学探索的你

这是＿＿＿＿＿＿的书

法布尔昆虫记（8）

夏日音乐家——蝉

北京科学技术出版社

『가수가 된 건축가 맴맴이』by Kyung-Sook Cho (author) & Se-jin Kim (illustrator)
Copyright ⓒ 2003 Bluebird Child Co
Translation rights arranged by Bluebird Child Co.through Shinwon Agency Co.in Korea
Simplified Chinese edition copyright ⓒ 2005 by Beijing Science and Technology Press

著作权合同登记号
图字：01-2005-3605

图书在版编目（CIP）数据

夏日音乐家/（韩）曹京淑编著；（韩）金世镇绘；李明淑译.
—北京：北京科学技术出版社，2009.10 重印
（法布尔昆虫记系列丛书）
ISBN 978－7－5304－3171－9

Ⅰ.夏… Ⅱ.①曹…②金…③李… Ⅲ.昆虫-少年读物 Ⅳ.Q96－49

中国版本图书馆 CIP 数据核字（2005）第 053763 号

夏日音乐家——法布尔昆虫记（8）

作　　者：	曹京淑
责任编辑：	白　林
责任校对：	黄立辉
封面设计：	鹿鼎原
图文制作：	邱晓萍
出 版 人：	张敬德
出版发行：	北京科学技术出版社
社　　址：	北京西直门南大街 16 号
邮政编码：	100035
电话传真：	0086－10－66161951（总编室）
	0086－10－66113227（发行部）　0086－10－66161952（发行部传真）
电子邮箱：	bjkjpress@163.com
网　　址：	www.bkjpress.com
经　　销：	新华书店
印　　刷：	保定华升印刷有限公司
开　　本：	787mm×1092mm　1/16
字　　数：	22 千
印　　张：	7.5
版　　次：	2006 年 1 月第 1 版
印　　次：	2009 年 10 月第 7 次印刷

ISBN 978－7－5304－3171－9/G·403

定　价：19.80 元

序

中国科学院院士 张广学

　　法布尔先生是一位热爱自然的伟大科学家，也是一位优秀的文学家。19世纪末，杰出的法布尔先生捧出了一部《昆虫记》，世界响起了一片赞叹之声，并且这片赞叹声响彻了100多年，直到今天！

　　法布尔先生写的《昆虫记》非常朴素和优美，他把一部严肃的学术著作写成了优美的散文，让人们不仅能从中获得知识和思想，更能获得一种美的享受，并由衷地产生对大自然深深的热爱！

　　作为一位科学家，一位用心去观察、用爱去体会的科学家，法布尔先生的科学研究是充满诗意的，他从不把昆虫开膛破肚，而是充满爱心地在田野里观察它们，跟它们亲密无间。他用诗人的语言，描绘这些鲜活的生命，昆虫在他的笔下是生动、美丽、聪明、勇敢的，他说他在"探究生命"，要"使人们喜欢它们"。他的心思如同一个孩童般纯真，而他的文笔也像孩童般充满想像力和感染力。他要让厌恶这些小东西的人们知道，微不足道的小小虫儿有着许多神奇的本领，它们勇于接受大自然的考验，要在这个世界上争得生存的空间。

　　北京科学技术出版社出版的这套改编的儿童版《法布尔昆虫记》，让小朋友们换了一个方式来阅读这部科学经典。这套书用简洁的语言、可爱的彩图、活泼的故事情节描绘了法布尔原著中具有代表性的昆虫，讲述它们的生活，展现它们的个性，处处流露出对它们的喜爱。我向小朋友们推荐这套图画本的《法布尔昆虫记》，正是因为它的语言非常简洁优美，每种昆虫形象栩栩如生，十分可爱，小朋友们甚至可以透过文字看到它们的喜怒哀乐，故事情节兼具科学性和趣味性，能够激发小朋友们的阅读兴趣和对大自然的神秘好奇心，培养他们尊重生命、亲近自然、热爱科学探索的精神！

　　最后，希望北京科技出版社能够出版更多更好的儿童科普书，同时也祝愿我国的儿童科普事业蓬勃发展！

张广学

2005.8.26.

学会"等待"的智慧

当雨季结束，炎热的夏天随之而来，森林里的参天大树上此起彼伏的蝉鸣声，响彻了整个天空，这是蝉家族在炫耀他们美妙的歌喉。

蝉鸣声有时听来十分清爽，有时却吵得令人烦躁。但是，蝉似乎根本无暇考虑人类的想法，因为他们已经在地下足足等了四五年甚至长达十几年的时间，现在总算见到蓝天白云，他们只想着尽情地放声高歌。更何况，他们只有两三周的歌唱生涯。

"知了知了……我的歌声多么清爽！"

"知了知了……什么？很吵啊？我才不管你呢！"

不管大家怎样议论纷纷，蝉还是继续歌唱他的夏天，因为他们是"夏日音乐家"。但是，你知道吗？在成为夏日音乐家之前，蝉是非常出色的建筑师呢！

怎么，你不相信吗？那么，现在我们就去参观蝉巧夺天工的建筑吧！

目录

夏日音乐家——蝉

法布尔先生位于塞里尼昂村的庭院里，

有两棵很大的法国梧桐树，

每年夏天，蝉家族都会在那里举办音乐会，

一场接着一场，整个夏天都不会停止。

虽然他们吵得法布尔先生无法专心工作，

但是，法布尔先生还是很喜欢这群既认真又有耐力的蝉，

因此他决定研究身边的这群蝉。

法布尔先生主要的观察对象是"南欧熊蝉"，

从蝉的鲜为人知的地下生活开始，

到蝉的建筑技术和羽化为成虫的整个过程。

为了了解蝉的味道，他还亲自品尝蝉，

而且进行了很多种魔术般的实验，

不但能让死去的蝉重新鸣叫，

还能利用一根小针，使正在唱歌的蝉安静下来。

有一次，法布尔先生向村委会借了一门礼炮来测试蝉的听力，

没想到蝉居然对震耳欲聋的大炮声一点反应都没有，

所以，法布尔先生得出蝉没有听力的结论。

虽然蝉听不到人类平常所能听到的声音，

可是，却听得见同伴的声音。

美妙而嘹亮的歌喉，对公蝉来说非常重要，

因为母蝉最喜欢鸣声响亮的公蝉。

法布尔先生还留心观察了蝉与蚂蚁的关系。
虽然童话里经常描述
蝉向蚂蚁乞求食物的故事，
把蝉形容成只顾唱歌、不努力工作的懒惰虫，
而把蚂蚁形容成勤奋、自食其力的劳动者，
但是，法布尔证实事实恰恰相反，
为此，他打算替蝉家族挽回名誉。
为了感谢法布尔先生，
每年的夏天，蝉儿们便更加卖力地歌唱。

我有400个兄弟姐妹

"嗯，在哪儿产卵比较好呢？"

7月的某一天，

蝉妈妈正在认真地挑选树枝，

因为她马上就要产卵了。

她最喜欢的是

比稻草梗粗一些，但比铅笔要细一些的干树枝，

但是，绝对不是已经掉落在地上的树枝。

"啊！那根不错！"
蝉妈妈赶紧向那根比较理想的树枝飞了过去，
没想到，那里已经被另一只母蝉捷足先登了。
蝉妈妈二话没说，径直离开了那里，
然而，这回她发现了一根更棒的树枝，
幸好，还没被别的昆虫占领。

"太好了！就在这里吧！
又细又长的树枝是我最喜欢的！"
蝉妈妈飞过去落在了树枝上，
紧接着，她的腹部末端开始轻轻地收缩。
母蝉的腹部末端有一根长约 1 厘米的产卵管，
产卵管的两侧为锯齿状，
中间却呈锥子状，
蝉妈妈就是通过这根管来产卵的。

锯齿状的产卵管非常锋利，
而且可以上下交替地切割，
所以再硬的树皮也能轻易地切开。
蝉妈妈将产卵管倾斜着刺入树枝里，
并以0.5～1厘米的深度，
挖出一个小洞来，
作为蝉宝宝的房间。

然后，蝉妈妈就一动不动地伏在树枝上，

开始全神贯注地产卵。

就这样过了 10 分钟左右，

已经产下 10 枚卵的蝉妈妈，

慢慢地拔出了产卵管，

但是，你不要以为这么简单就结束了！

蝉妈妈接着又往上爬了 1 厘米，

再次将产卵管刺入树枝挖了一个小洞，

这次产下了 12 枚卵，

"小乐"就是这 12 枚卵的其中一枚。

蝉妈妈为了制作第 3 个卵房，

又向上爬去，

这时候，有一只小昆虫偷偷地靠近了蝉妈妈，

她是一只体长只有 4~5 毫米，

名字叫"蚋"的小家伙，

蚋站在比自己大 100 倍的蝉妈妈身旁，

悄悄地看着蝉妈妈产卵。

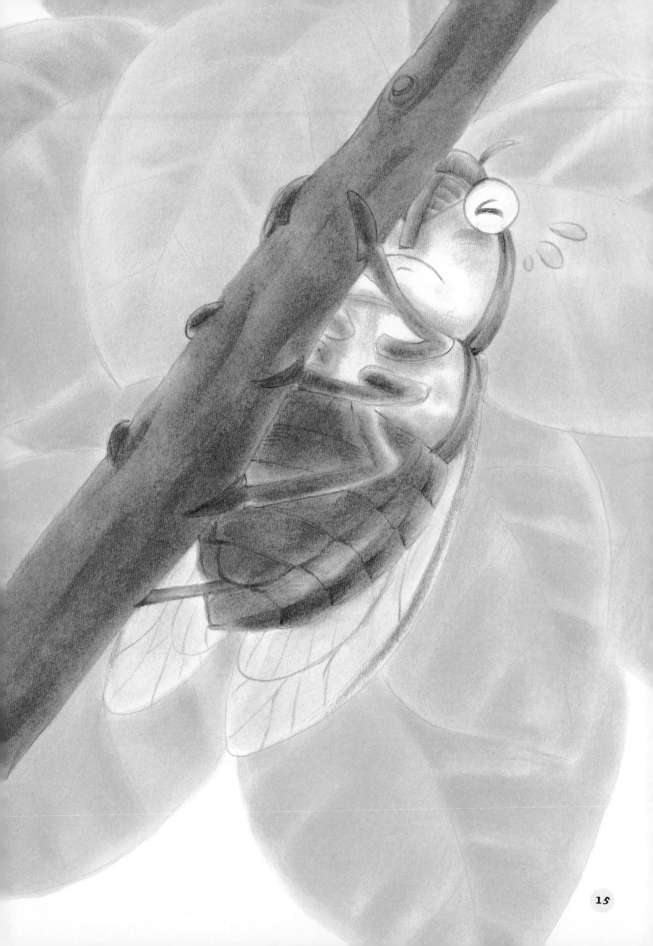

蝉妈妈早就发现了蚋，

因为蝉的视力非常好。

"这个小家伙为什么老是在我身边晃来晃去？

她到底想干什么？"

虽然蝉妈妈看蚋很不顺眼，

但是，又不能为了赶走他而中断产卵。

当蝉妈妈产完卵，

准备爬到更高一点的地方制作另一个卵房时，

那只蚋马上冲到蝉妈妈刚刚产完卵的卵房处。

"太好了！你这个愚蠢的蝉妈妈！"
蚋将自己细细的产卵管插入蝉妈妈产下的卵之间，
并且还笑嘻嘻地说：
"这些蝉妈妈的卵将变成我的宝宝的食物！"
蚋就这样紧跟在蝉妈妈的身后，
在所有蝉妈妈制作的卵房里产下了自己的卵。
蝉妈妈一次能产下 7~15 枚卵，
而蚋一次只能产下一颗卵。

由于蚋的卵比蝉卵要早孵化出来，

所以，尚未孵化的蝉卵就会变成他们的食物。

蝉妈妈终于产完了所有的卵，

她一共制作了40多个卵房，

每个卵房平均有10枚卵。

"现在，我的宝宝该有400只了！"

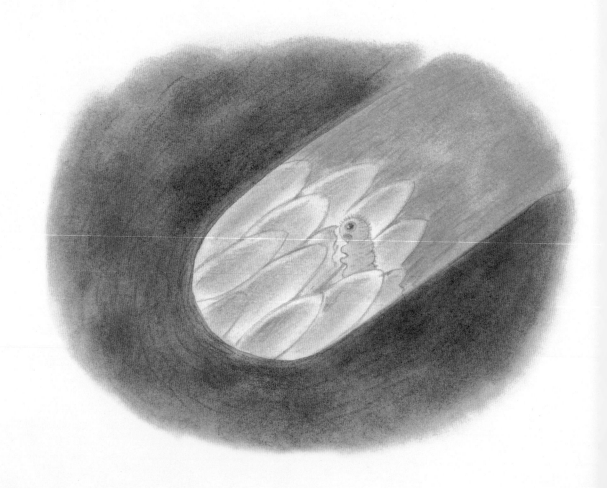

产完卵的蝉妈妈，

立刻离开了那根产卵的树枝，

顾不上探究一直跟着自己的蚋

究竟都做了些什么。

事实是，为了产卵耗尽了力气的蝉妈妈，

在产完卵后便虚弱地掉落在地面上死了，

所以，她根本没有时间照顾那四百只小宝宝。

宝宝啊！我可爱的小宝宝们！
用你们那脆弱的身体，
在这世界上顽强地生活下去吧！
我的小宝宝！

这个世界里有很多可怕的东西！
一定要小心奸诈的蚋；
一定要小心狡猾的蚂蚁！
除了自己，千万不要相信其他昆虫！

宝宝啊！我可爱的小宝宝们！
用你们那顽强的毅力，
在今后的漫长岁月里好好地生活下去吧！
妈妈好担心啊！

你们要忍耐再忍耐！
要忍耐孤独的生活，
还要忍耐黑暗的生活！
蝉的生活就是学习忍耐的生活！

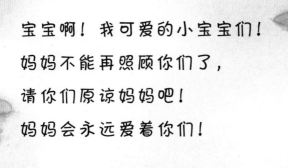

宝宝啊！我可爱的小宝宝们！
妈妈不能再照顾你们了，
请你们原谅妈妈吧！
妈妈会永远爱着你们！

蝉妈妈用尽全身的力气产下的蝉卵，
个个都呈柔和的象牙色，
长约 2.5 毫米，宽约 0.5 毫米，
两端有些尖，整个卵又细又长，
仿佛就像一颗被拉长的微型橄榄球。
但是，小乐的兄弟姐妹们，
随着蚋卵的孵化，
几乎都变成了蚋幼虫的食物。
还好，住在第二个房间里的小乐，
非常幸运地活了下来。

9 月下旬，
小乐原本象牙色的身体，
已经变成了麦子般的金黄色。
到了 10 月初，
卵的前端出现了两个褐色的小圆点，
这就是小乐的眼睛。
在卵里的小乐需要充足的阳光，
才能顺利地破壳而出，
如果一时冲动着急跑出来的话，
后果将不堪设想。

所以，小乐一直耐心地等待着，
"我期待的幸福时光很快就会到来！"
阳光明媚的天气终于来临了，
太阳一大早就露出了笑脸，
惬意地在蓝天白云里休息，
温暖而柔和的阳光照在小乐的房间里。

"就是今天了！"

小乐鼓起勇气破壳往外爬，

他的外表看起来并没有太大的变化，

只是身上多了两只黑色的眼睛。

不过，如果仔细观察的话，

就会发现他的腹部有一对酷似鱼鳍的器官。

"什么？你说这是鱼鳍！
其实这里藏着我的一对前腿，
我刚才就是靠它们才刺破卵壳出来的！"
小乐觉得自己非常了不起，
因为妈妈产下的约 400 颗卵中，
只有为数不多的几颗卵存活了下来，
小乐心想，过世的妈妈也一定会以他为荣的。

小乐终于长成了初龄若虫[1]，
现在他决定不再休息，
直接离开那个树枝上的小洞。
不过，由于洞本身比较狭窄，
再加上里面还有许多尚未孵化的卵，
所以，这对小乐来说并不是件容易的事。
小乐开始全力向上爬，
"一、二！一、二……"
小乐将自己的一对前腿作为杠杆，
一步一步往外爬。
虽然没有人告诉他什么，
但是他很清楚自己应该怎么做，
因为这是他与生俱来的本能。
自小乐从洞穴里露出头的那一刻开始，
足足花了30分钟才完全爬出洞穴。
"啊！我终于出来了！"
小乐希望里面的同伴也能这样成功地爬出洞穴，
接着，他很快脱掉了身上的薄膜。

[1]初龄若虫：有些虫卵不经过蛹的阶段而直接孵化出与成虫外形相似的不完全发育体，即为若虫。这类虫卵孵化后第 1 次破卵壳而出的即为初龄若虫，其身上尚有一层薄膜。

现在小乐已经成为了 1 龄若虫，
他的身上长出了触角和长长的后腿，
以及一对像锄头一样的前腿。
小乐的尾部尚留在已经脱掉的薄膜里，
而且，就这样倒挂在树枝上。

"现在我应该钻进地底下。
虽然，要从这么高的地方往下跳，
实在是有些害怕，
但是，为了成为一只优秀的蝉，
相信自己可以克服这点困难！"
小乐一边鼓励着自己，
一边不停地摇晃着身体，
还不时地伸展着前腿。
小乐就这样在阳光下做着准备活动。
过了一个小时后，
小乐感觉自己的皮肤变硬了，
"现在该出发了！"
小乐大叫一声，嗖地跳了下去。

地下建筑师

刚到地面的小乐感到有些不安，

因为地面上一切对他来说实在是太陌生了。

小乐觉得一阵微风都能把自己吹走，

万一不小心掉到泥坑里就糟了，

而且更可怕的是，

地上到处都有小乐的天敌。

首先要特别防范狡猾的蚂蚁。

"我不能在这儿慢吞吞的了，

得赶快找个好地方躲起来，

要不然该麻烦了！"

小乐打起精神，开始四处寻找藏身之处。

"这里太硬了！"

"这里太干燥了！"

想要找个好地方躲藏

并不像想像中的那么简单。

小乐感觉非常疲惫，

因为，现在已经是10月底了，

天气在渐渐变冷，就连风也很刺骨了。

"怎么办？我得赶快躲进地底下去……"

小乐忍不住心急了起来。

这时候，有两只蚂蚁在树后慢慢地走过，

小乐心里"咯噔"一下，

赶紧趴在原地等着蚂蚁离开，

幸好，蚂蚁们并没有发现小乐。

如果……？

啊，想一想真是恐怖，

差一点就发生不敢想象的惨剧啊！

终于，小乐找到了一处满意的土地，

是一块非常松软的土地，

他连忙用锄头般的前腿奋力地挖起土来。

"加油！加油！"

不到 5 分钟小乐就挖好了一个水井一样的小洞穴。

接着他便躲进了洞穴里，

从现在开始，小乐将开始漫长的地下生活。

在地下洞穴里小乐的身体和腿上陆续长出了长毛，

这是用来在漆黑的地底下

帮助小乐感知周围情况的"触觉毛"。

由于黑暗的环境不需要双眼，

所以小乐的视力自然而然地退化了，

但一对触角却变得越来越发达。

小乐的地下生活既漫长又无聊，

惟一能做的事情就是，

每到寒冷的冬季时，爬进更深的地下，

等到温暖的夏季来临时，则再爬高一点，离地面近一些。

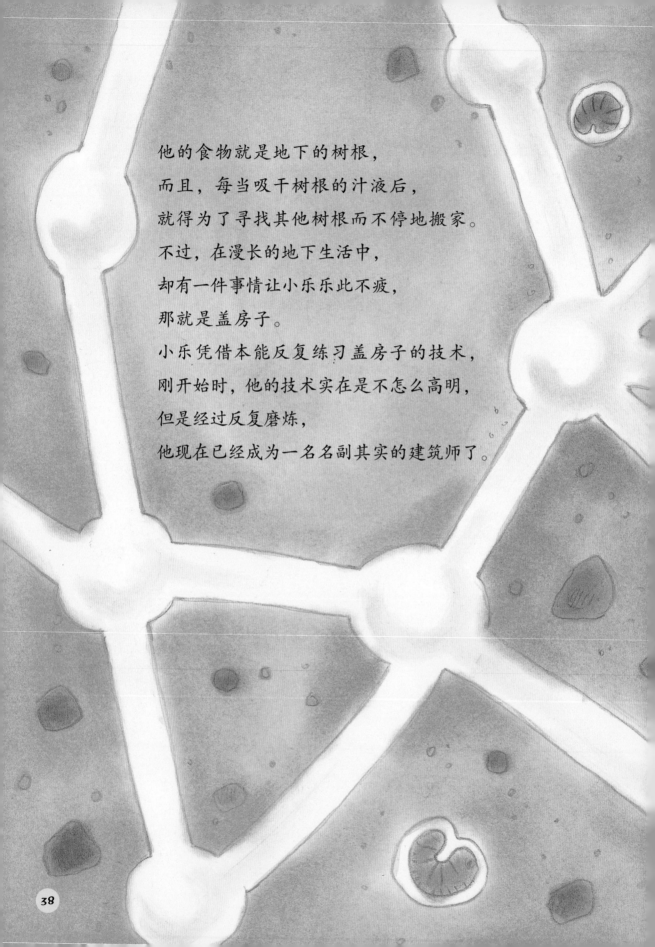

他的食物就是地下的树根，
而且，每当吸干树根的汁液后，
就得为了寻找其他树根而不停地搬家。
不过，在漫长的地下生活中，
却有一件事情让小乐乐此不疲，
那就是盖房子。
小乐凭借本能反复练习盖房子的技术，
刚开始时，他的技术实在是不怎么高明，
但是经过反复磨炼，
他现在已经成为一名名副其实的建筑师了。

在过去的 4 年间，小乐不停地盖房子，
早已在不知不觉中练就了高明的建筑技术，
甚至还因此掌握了一项特殊的建筑技巧。
"这就是我盖的房子，很不错吧！"
小乐经常得意洋洋地炫耀自己的房子。

参观一下我的房子吧！
干净又宽敞，
每个房间里的树根
随时都会流出香甜的饮料！

有空来我家坐坐吧！
寒冷的时候，在深处很温暖，
炎热的时候，在浅处很凉爽，
真是个非常神奇的房子！

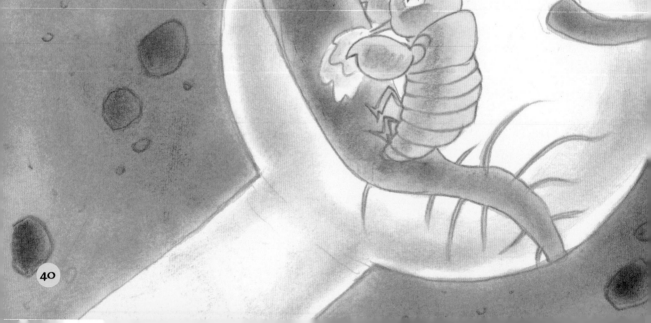

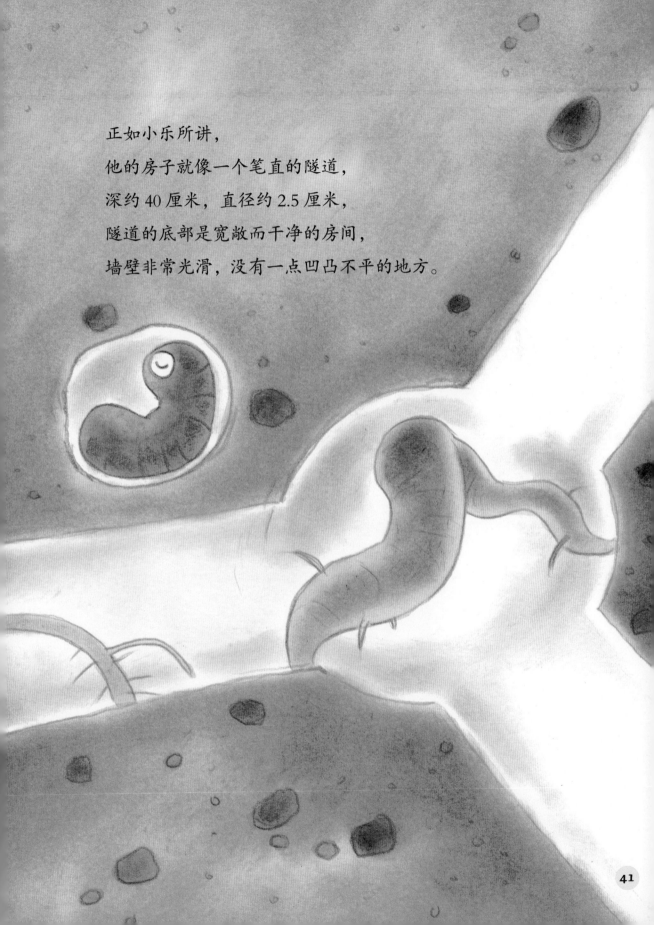

正如小乐所讲，
他的房子就像一个笔直的隧道，
深约40厘米，直径约2.5厘米，
隧道的底部是宽敞而干净的房间，
墙壁非常光滑，没有一点凹凸不平的地方。

小乐害羞地笑着说:
　　"其实没什么!
　这里有个小秘诀,
这些墙壁是我用自己的尿液
　浇在干土上做成的。"
小乐把泥土和在自己的尿液里,
　使干土变成水泥状的黏土,
再像瓦匠用抹刀涂抹水泥那样,
　用自己的腹部将制作好的黏土
　　仔细地涂抹在墙壁上。

每搬一次家，小乐就要盖一个新房子，
就这样，他的建筑技术在不知不觉中变得非常熟练，
这些美丽的房子让小乐非常自豪。
这样的生活持续了4年之久，
在这4年里小乐在地下蜕了4次皮。

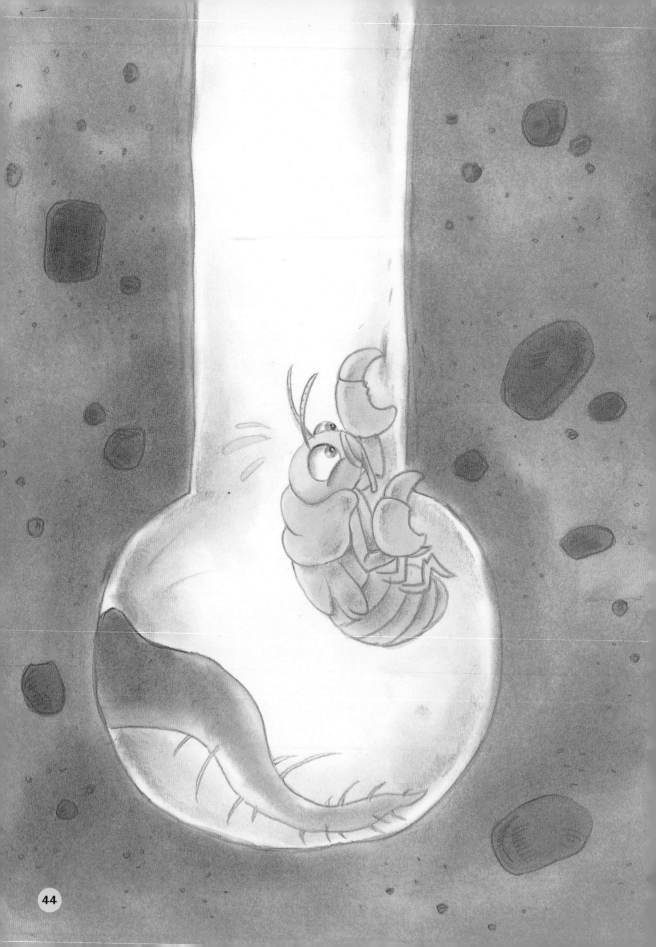

小乐将长长的吸管状的嘴巴插进树根里，
一边用力地吸着树汁，一边自言自语地说道：
"我已经长大了，现在应该可以到地上了吧！
虽然我很小的时候只短暂地看过外面的世界，
但是，至今仍记得那温暖的阳光和徐徐微风。
过去的4年里，我一直在怀念着那天的阳光和微风，
我在地下默默忍受着孤独，
现在，终于可以享受阳光和微风了。"
小乐在地底下耐心地住了4年，
就是为了等待这一天的到来。
为了便于观察洞外的天气，
他还挖了一个竖井般的通道，
井口还做了一个薄薄的房顶，
而井底是比较宽敞的房间，
他需要在这里等候出洞。
每次掀起屋顶观察外面的天气，
小乐都感觉非常麻烦，
但是为了防止其他昆虫入侵，
他必须保留这个屋顶。

"哎！今天不行，外面在下雨呢！
如果被雨淋了，我就不能展开翅膀了！"
"啊！今天也不行，风太大了！"
有几次，虽然外面的天气非常好，
但是小乐却因为听见村子里的小朋友
或是小狗的脚步声而不敢出洞。
终于，在一个盛夏的傍晚，
小乐顺利地推开屋顶爬出了洞口。

"哇！和4年前一模一样啊！"

刚从洞里出来的小乐，全身上下都沾满了泥土。

几个小时后，

小乐淡淡的身体颜色渐渐加深，

原本白色的眼球也变成了黑色，

视力也逐渐恢复，开始能够看清地面上的物体了。

久违的世界，重新展现在小乐的眼前。

这是我盼望已久的日子啊！
终于结束了监狱般的地下生活，
小乐兴奋地快要掉下眼泪了。
他小心翼翼地在地上爬着，
寻找着可以躲藏的地方。
虽然是漆黑的晚上，
但他还是要提防那些夜行鸟类，
或是机灵的蚂蚁。
所以，小乐心里还是有些紧张。
他提醒自己千万要小心，
苦苦等了 4 年的新生活，
绝对不能就这样结束。
幸好，大家都在睡梦中，
没有谁来打扰小乐的外出。
现在，小乐需要再蜕一次皮，
才能变成真正的成年蝉。

当小乐发现合适的树枝后，

立刻爬了上去，

然后，用一对最结实的前腿紧紧地抱住树枝。

小乐保持着这种姿势在树枝上休息了片刻，

这时，他的前腿变得更加坚硬，

也能够更有力地抱住树枝了。

"好了！现在可以开始了！"

终于，小乐的背部正中央出现了一条裂缝，
时间一分一秒的过去了，
那条裂缝也变得越来越宽，
可以隐约看到小乐淡绿色的身体。
又过了一会儿，
小乐的绿色身体好像突然从蛹壳里冒了出来，
背部最膨胀的地方犹如有血液在流动，
有节奏地跳动着。

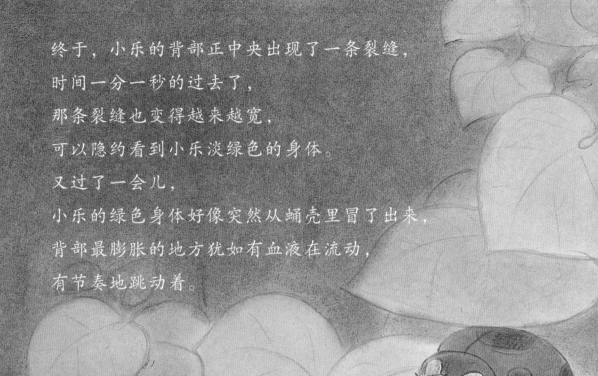

当小乐的头部从蛹壳中
挣脱出来的那一刻，
他觉得自己就像是来自宇宙的外星人。
"我现在正在脱外星人的宇航服呢！"
小乐的上半身已经完全暴露在外面，
接着，他将身体努力地往后伸展，
然后用力往上爬。
现在，蛹壳里只剩下了尾部，
不过，小乐看起来似乎已经筋疲力尽了。
"我是个最勇敢的蝉，
我是个最有耐力的蝉，
这种小事算不了什么！"

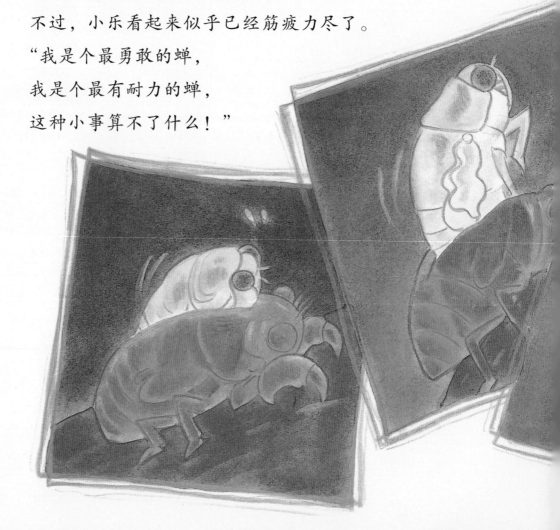

小乐低下头，把身体尽量向后伸展，
就像一个体育运动员做后空翻一样，
使腹部渐渐从蛹壳里露了出来。
他没有休息，接着又将身体立了起来，
这时候应该特别谨慎，
如果不小心从树枝上滑下来就非常危险了。
就这样，从头到尾花了30分钟的时间，
才完成了全部的蜕皮工作。
此时，天空已经蒙蒙亮了。

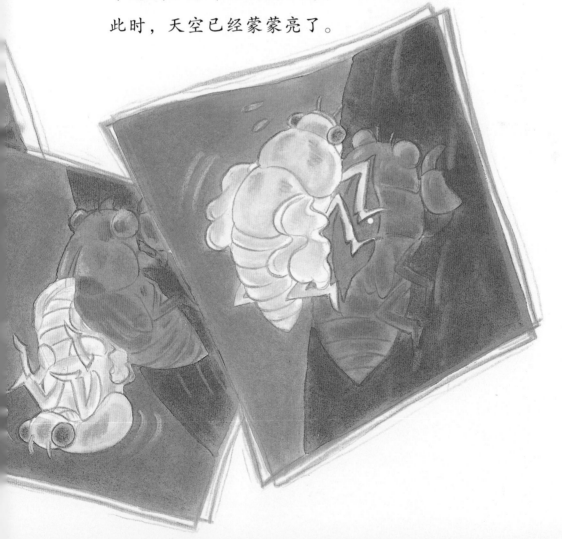

但是，小乐仍然保持着

相同的姿势，

似乎是在焦急地等待着什么，

他觉得此时的等待，

比起那地下的 4 年更加漫长。

除了淡褐色的胸部，

小乐身体的其余部分还都是淡绿色。

为了使自己柔软的身体变得结实，

而且使皮肤呈现健康的褐色，

小乐需要阳光的照射和微风的吹拂。

经过了 3 个小时，

小乐终于变成了一只帅气的褐色成年蝉。

"太好了！现在只剩下最后的考验了！"

那就是在天空中飞翔。

从没有飞行经验的小乐，

突然感到有些害怕，

他犹豫了片刻，

还是鼓起勇气从树枝上跳了出去。

"哇！"
以前只能在地下洞穴里爬行的小乐，
现在已经自由地在天空飞翔了。
他简直不敢相信自己可以飞行的事实，
"哇！我……我真的飞起来了！"
拂晓的天空灰蒙蒙的，空气非常清爽，
小乐感觉心情舒畅，高兴地唱起歌来。

奇怪的是，不论小乐怎样努力发声，
却只能发出微弱的咕咕声。
"我是鸽子吗？怎么会发出咕咕声呢？
看来我还需要多练习练习！"
即使如此，小乐还是非常开心，
况且，学习一些东西并不是件坏事呀！

向来开朗乐观的小乐，
根本不会将这样的小事情放在心上，
而且，对小乐来说，
周围的所有事情都那么有趣和神奇，
他感觉自己很幸福。
小乐一路看树林，看太阳，
还有形形色色的昆虫们，
他尽情地享受着阳光下的生活。

"啊！那不是蚂蚁吗？

曾经让我那么害怕的蚂蚁，

居然是个那么小的家伙呀！

真是今非昔比啊……"

小乐忘记了自己已经是身长3.5厘米的成年蝉。

毕竟，现在的小乐，

体形比一般昆虫都要庞大。

蚂蚁的谎言

小乐的生活充满着快乐！
不但脱离了暗无天日的地下生活，
还能随心所欲地放声高歌，
小乐觉得自己别无他求，
完全沉浸在幸福当中，
而他的歌喉也越来越洪亮。
"知了，知了……"
小乐将这4年来的压抑，
用放声高歌来释放，
越来越洪亮、越来越有力、越来越长久。

每当唱完歌后，小乐都感觉心情特别舒畅，
"虽然，当一名建筑师也很快乐，
但是，音乐家更是一个幸福的职业，
还好，我当上了夏日音乐家！"
从小乐变成蝉的那天起，
森林里就没有下过雨，
所有的东西都失去了光泽，变得干枯。

但是，这并没有影响小乐的生活，

因为，他的嘴巴酷似一根吸管，

那里面还有一根更细的吸管可以用来吸食树汁。

小乐将嘴巴熟练地插进树枝，

开始尽情地吸食甘甜的树汁。

不过，其他的昆虫就惨了，

难耐的酷暑加上长时间的干旱，

使他们在煎熬中度日如年。

树汁的气味吸引了许多口渴的昆虫们，
他们纷纷聚集在小乐的身边。
苍蝇首先奸诈地搓着双手说：
"亲爱的小乐叔叔，会唱歌的小乐叔叔，
可不可以让我喝一口树汁呢？
我快要渴死了！求求您！"

小乐轻轻地挪了一下身体，

苍蝇立刻上前吸吮流出来的树汁。

看到这情景，虎头蜂犹豫了一下说道：

"小乐叔叔，也可以给我喝一口吗？

今年夏天似乎特别炎热！"

小乐点了点头，让虎头蜂过来喝树汁，

"说的也是啊！好久没有下雨了，

真是苦了你们了！"

小乐的宽宏大量和和蔼可亲，

一直传到了邻村的昆虫那里。

锹形虫、细腰蜂、小绿花金龟、土蜂……

听到消息的昆虫纷纷前来请求小乐的帮助，

喝到树汁的昆虫不停地向小乐表示感谢，

恋恋不舍地离开了那里。

其中，只有蚂蚁的态度和大家非常不同，
刚开始的时候，
因为有些惧怕体形巨大的小乐而有些不敢靠近，
但是，当小乐将吸食树汁的位子让给蚂蚁时，
他却毫不客气地立刻喝起了树汁，
连声感谢的话也没有。
之后又连续来了好几次，
既不打招呼，也没有道谢，
好像是理所当然的事情。
对蚂蚁的蛮不讲理，
心胸宽厚的小乐从不计较。

事实上，小乐根本不愿理会矮小的蚂蚁，

他觉得和蚂蚁吵架是十分可笑的行为，

但是，蚂蚁多次的无理举动，

使小乐很不舒服，

他决定要好好教训蚂蚁一下。

这天，蚂蚁又来找小乐喝树汁，

他直接爬到小乐的背上，

咬住了他的翅膀，

小乐觉得蚂蚁太得寸进尺了。

"走开！马上给我滚开呀！"
小乐再也无法忍受蚂蚁的嚣张举动了，
便严厉地对蚂蚁说：
"喂！小蚂蚁，我让你喝树汁，
最起码也该说声谢谢吧！"
没想到，蚂蚁不但没有表示歉意，
还很不客气地说：
"哼！我们蚂蚁本来就不需要感谢你们，
这是有原因的！"

小乐强忍着怒火大声问道：

"怎么可能？"

蚂蚁带着嘲讽的口吻说：

"小乐，你真是无知啊！

难道你没听说过蚂蚁与蝉的老故事吗？"

"什么老故事？这和老故事有什么关系？"

蚂蚁故作无奈地说：

"你可能是在地下呆得时间太长了，

所以才没有机会听到，

除了你之外，没有谁会不知道这个故事！"

虽然小乐已经很不高兴了，
但还是强忍着听了蚂蚁的故事。
"很久很久以前的一个寒冬，
你爷爷的爷爷曾经向我奶奶的奶奶乞讨食物，
记得他那时是这么说的：
'求求你！请你给我一点小麦吃好吗？'
由于你爷爷的爷爷
整个夏天只顾着唱歌而不工作，
所以到了冬天，当然没有食物可以吃了！
那时，我奶奶的奶奶是这样说的：
'哎哟！大音乐家！
当别人忙碌的时候，您都在做什么呢？
现在居然到我这里来要食物？'
我奶奶的奶奶就这样教训了你爷爷的爷爷，
所以啊！至于这点儿树汁，
我可以随便喝了！你知道了吧？"
小乐听完蚂蚁的故事，
糊里糊涂地把自己的位子让给了蚂蚁

蚂蚁得意地占据了小乐的位子，
开始尽情地喝着树汁，
而且还在离开的时候，傲慢地对小乐说：
"对了，听说你也当了歌手，
那你最好小心一点儿，
免得以后像你爷爷的爷爷那样就惨了！
好了，明天见吧，小乐！"
蚂蚁离开后，小乐仔细地思考着蚂蚁讲的故事。

因为小乐觉得这故事有些不对劲，

一会儿，小乐恍然大悟地大笑了起来，

"哈哈哈！我爷爷的爷爷向蚂蚁乞讨小麦。

简直太荒唐了！

我们这张长得像吸管一样的嘴巴，

怎么可能吃小麦呢？"

小乐觉得用这种荒谬的故事欺骗他的蚂蚁非常可恶。

第二天，蚂蚁又来找小乐喝树汁，

并且好像是来讨债一样蛮横无理。

"还不快让开！
我都要渴死了！"
小乐无奈地摇着头说：
"你昨天讲的故事是真的吗？
我爷爷的爷爷真的
向你奶奶的奶奶乞讨小麦吗？"

蚂蚁不耐烦地回答说：

"当然是真的啦！

这可是大家都知道的故事呀！

好啦，快点儿让开吧！"

但是，小乐却始终坐在原地一动也不动，

看样子，小乐再也不想把自己的树汁分给蚂蚁喝了。

"好！就算是那样，
那么你奶奶的奶奶，
有没有给我爷爷的爷爷小麦呢？"小乐又问道。
蚂蚁发起脾气来：
"我怎么知道！"
小乐摇了摇头说：
"肯定是没给！
我从来没看到过
你们蚂蚁帮助其他昆虫。"

"而且，请你仔细看一看我的嘴巴吧！
我爷爷的爷爷也像我一样长着吸管状的嘴巴，
所以，根本没有办法吃小麦，
又怎么会去乞讨小麦呢？
听懂了没有，你这个大骗子！"
小乐狠狠地推开了蚂蚁。

心地善良的小乐，

再也无法忍受这只可恶的蚂蚁，

他越想越生气，

可是，蚂蚁不但没有反省自己，

反而生气地离开了。

"走着瞧！你这个大笨蛋！

我绝对不会轻饶你的！"

小乐根本不理会蚂蚁，

又自顾自地唱着歌，喝起树汁来，

"真是个讨厌的家伙！

没了他可真清静啊！

也不知道为什么他的性格如此古怪？"

小乐很快忘了和蚂蚁之间的不愉快。

就在那天晚上，
熟睡中的小乐突然感到一阵剧痛，
"哎呦！疼死我了！"
小乐尖叫着醒了过来。
竟然是一只小蚂蚁用力地咬住了自己的脚，
他发现偷袭自己的家伙，
就是白天那只可恶的蚂蚁，
小乐气得浑身发抖，
"嗤……"地往蚂蚁身上撒起尿来，
因为，他想好好教训这只不懂事的小蚂蚁。

但是，蚂蚁根本不在乎受到侮辱，
只是心满意足地沉浸在突袭成功的喜悦中，
哼着歌得意洋洋地回去了。
遭到突然攻击的小乐叹了一口气说：
"嗨！蚂蚁真是个讨厌的家伙啊！"
第二天，那只厚脸皮的蚂蚁又出现了。

"喂！我来了！赶快让开一点儿！"
小乐故意装作没听到，一句话也不说，
这下可急坏了蚂蚁，
他生气地在小乐周围转来转去，
一会儿用力咬住小乐的翅膀，
一会儿又爬到小乐的背上踩着脚。
就这样，蚂蚁不停地在小乐身上捣乱，
但是，小乐没有一点让开的意思，
仍然在原地一动不动。

"还不快让开，等一下后悔就来不及啦！"
蚂蚁气得直跺脚，
忽然爬到小乐的头上，
用力地咬住了小乐的吸管状嘴巴。
小乐觉得又烦又痛，
"呼——"地展开翅膀飞到了半空中。

"真是受不了你了！
居然还有像你这样的无赖！"
蚂蚁兴高采烈地跑到小乐的位置，
"哈哈！现在树汁都是我的了！"
但是，蚂蚁还没有说完，
树汁却已经干枯了。
"咦？这是怎么回事啊？"
蚂蚁慌慌张张地不知所措，
见到这情形，小乐冷冷地说：
"难道你不知道吗？
你爱喝的树汁，
是我用自己抽水机般的长嘴抽出来的，
你不是很聪明吗？怎么连这个都不懂！
如果没有我的嘴巴，
你就只能对着厚厚的树皮发呆！"

其他排队等着喝树汁的昆虫们听到小乐的话，
开始纷纷指责不懂事的蚂蚁。
"活该！没礼貌的小家伙！
都是你惹的！害得我们也喝不到树汁了！
你要赔给我们！你听懂了吗？"
"现在该怎么办呢？
我已经渴得受不了了……"
有些昆虫因为口渴难忍，
呜呜呜地哭了起来，
这时，小乐开始吐露心中的不快。

"还有，关于我们的奶奶和爷爷，
其实我早就知道你说的那个故事，
全都是你们这些无耻的蚂蚁编造出来的谎言罢了，
大家应该都知道那是假的吧！"
在场的昆虫们，纷纷点头同意小乐的说法。
"对啊！对啊！那么稳重的蝉，
怎么可能向一群没礼貌的蚂蚁乞讨呢？
根本就是骗人的谎言！"

"一定是因为蚂蚁们经常受别的昆虫们的恩惠，
自觉理亏编造出来的。
这是个很显然的道理呀！"
被大家耻笑的蚂蚁，
心里暗自咒骂着大伙，慌忙离开了现场。
小乐也不想再住在这个多事的地方，
于是，便毫不留恋地去寻找另一个家。

短暂的歌唱生涯

搬到新家的小乐，
认识了许多可爱的同伴。
喜欢桑树的桑蝉、体形大嗓音亮的马蝉、
身上长着很多绒毛的毛蝉、歌声独特的骚蝉、
还有叶蝉、角蝉和蜡蝉等，
小乐很快和他们成了好朋友。

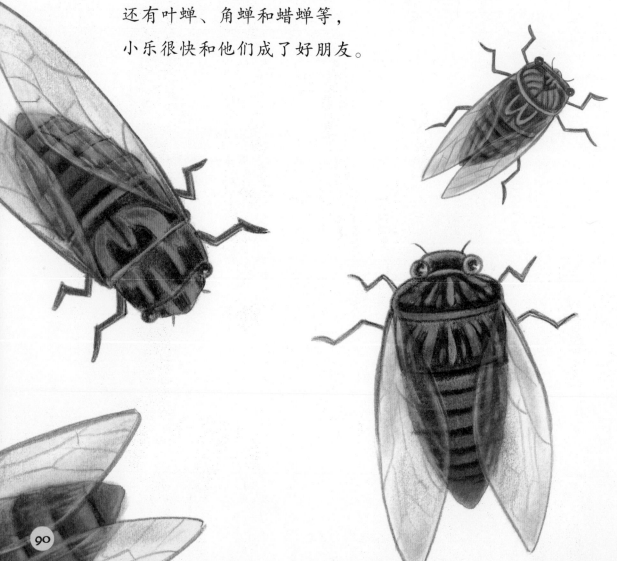

小乐每天开心地唱着歌，
他的歌声既洪亮又甜美。
在小乐的胸部下面，
也就是紧靠着后腿的地方，
有两块很宽的半圆形
酷似鱼鳞且有些发硬的盖片。

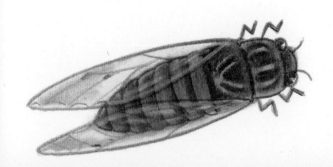

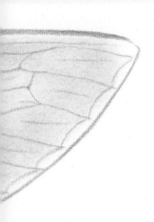

这两块盖片就叫做"音箱盖"，
在这个音箱盖下方有一个发音器官。
只要掀开音箱盖，
便可看到左右两边各有一个小洞，
这两个小洞就是"共鸣器"。
但是，光靠共鸣器并不能发出声音，
最重要的部分是在小乐的一对后翅膀下面，
有一对向两边稍微隆起的背垫，
那里面有白色的发音膜，
这个发音膜上连接着酷似贝肉的发音肌。

当发音肌收缩时牵拉发音膜，
便能发出清脆的声音。
发音肌每秒钟能伸缩100多次，
可以不停地发出声音来，
不过，这个声音非常细小。

真的，
好神奇呀！

怎么没声音啊！
是发音肌受伤了吗？

发音肌发出的细小声音，
必须经过共鸣器才能放大，
因此，即使是已经死亡的蝉，
只要牵拉它的发音肌，仍然可以发出声音；
但是，当蝉死去后，它的共鸣器无法产生共鸣，
所以，只能发出非常小的声音。
同样的道理，只要弄伤活蝉的发音膜，
它就再也不能发出声音了。
是不是很神奇呀？

小乐一边唱歌，一边晒着太阳。

阳光和树汁是小乐最喜欢的东西，

他连喝树汁的时候，也不会停止唱歌！

这时，不知从哪里

飞来了一只母蝉对小乐说：

"你唱得真好啊！你的歌声真是好听啊！"

小乐听见母蝉这么说时，看了母蝉一眼。

小乐有两种眼睛，

两只位于头部两侧的又大又圆的复眼，

还有 3 只位于头部正中央的单眼。

有这么多的眼睛，

刚才竟然没有发现这只母蝉，

小乐问："你听见我唱歌了？"

"是啊！你唱得很棒啊！"

小乐客气地说："谢谢！其实我们蝉听不见
人类能听见的普通声音，
就算是大炮的爆炸声也听不到啊！"
"但是，我们能听到彼此的声音，
这就已经足够了！"母蝉温柔地说。
小乐点了点头表示赞同母蝉的意见，
"没错！听说人类也听不见蝙蝠的声音，
所以，我们蝉也有自己的声音世界！"

小乐说完又继续唱起歌来，
坐在一旁的母蝉用羡慕的口吻说：
"我好羡慕你们公蝉，
你们可以尽情地唱歌。"
小乐惊讶地问：
"难道你们母蝉不会唱歌吗？"
"是啊！我们也像你们在地下待了那么久，
但是，却连一句也唱不出来，
你说这是不是很不公平啊？"
小乐也觉得这样不公平，
他很想安慰那只母蝉，
"不过，你们可以生下很多可爱的小宝宝啊！"
母蝉有些害羞地回答："那倒也是！"

小乐看见母蝉的样子，
忍不住鼓起勇气问：
"你喜欢我吗？"
突然间小乐的声音变得有些奇怪，
好像和刚才不大相同。
母蝉停在原地，静静地注视着小乐，
似乎也很喜欢小乐的样子。
小乐兴奋地抖着身体，
以"之"字形脚步向母蝉靠近，
就这样，他们结成了夫妻。

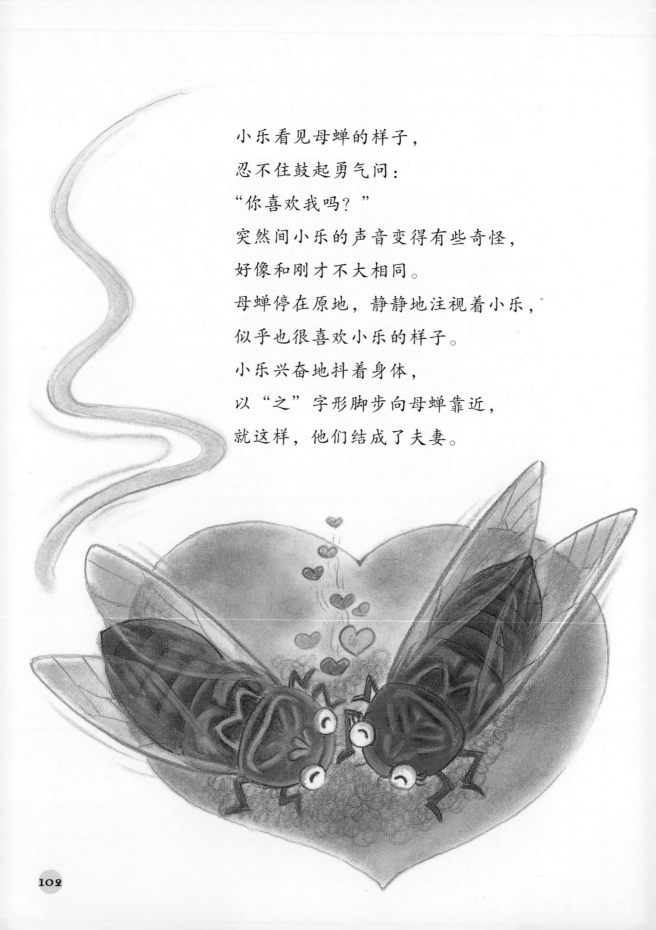

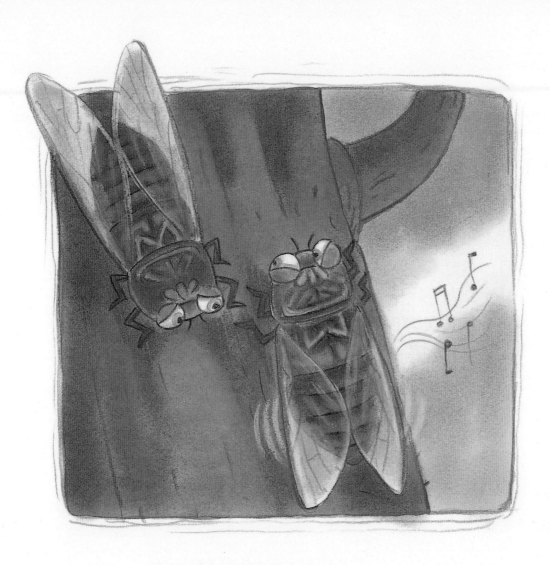

漫长的夏季将要结束了，
最近，小乐时常感到非常疲惫，
越来越没有力气了，
就连嗓音也是一天不如一天，
最后，居然连抓住树枝的力气也没有了，
于是，小乐想最后再唱一首歌。

有没有听过我的歌？
那是我等了4年的歌声啊！

我从来不和别人吵架，
也不去理会世上的是是非非！

因为我的一生太短暂了，
所以我没有时间去管那些事情！

唱完最后一首歌的小乐，
"砰"地一声无力地掉在了地上。
"啊！我的生命走到尽头了！"
躺在地上的小乐，
回想起很久以前，
自己还是若虫时掉落到地面上的情形。
就这样，小乐的翅膀颤抖了一会儿，
结束了自己作为蝉的短暂一生。

夏末的阳光很快晒干了小乐的身体，
这时，有一只到处寻找食物的蚂蚁，
发现了小乐的尸体，
"咦？这不是那个笨蝉小乐吗？
哼！当初竟然那么教训我，
活该！看你现在的模样！"

对小乐的死亡，蚂蚁一点儿也不难过，
反而迅速地跑回了家。
"大家注意了！
前面那棵树下掉下来一只蝉，
趁别的昆虫还没有发现，
我们赶快行动吧！快跟我来！"
一瞬间，蚂蚁们便围绕在小乐的尸体旁，
将他的身体切成了一块一块的。
"快！再快一点儿！
这家伙够我们吃一阵子的！"
"对啊！"

正当大家快乐地工作的时候，
突然有一只蚂蚁喃喃自语说：
"他是一夏天给咱们树汁喝的蝉啊！
真是太可怜了！"
老蚂蚁听见这句话后便生气地说：
"蝉有蝉的义务，蚂蚁有蚂蚁的责任，
如果我们不这样处理这只蝉的话，
这片树林将会变成多么肮脏的地方啊！
别再胡思乱想了，
赶快和大家一起干活吧！"
那只蚂蚁听见老蚂蚁的教训，
便不敢再多说什么了。

小乐就这样从这个世界上消失了，
他的同伴们用歌声哀悼他的离去，
想着自己也将在不久的将来面临这样的死亡，
这一天，蝉儿们伤心地唱到很晚。
不过，4年后的夏天，
小乐的儿子们仍然会像父亲一样歌唱，
而他的女儿们也会生下许多可爱的小宝宝。

穿越时空系列 （12本 全彩）　穿越时间长河的神秘之旅

《穿越时空》系列图书是英国ORPHEUS图书有限公司出版的英文系列图书的中文版。每一本书都讲述一个主题，如城堡、火山、恐龙、交通、金字塔等等。翻开每本书都像经历一次旅行，但这绝非普通的旅行，而是一次穿越时间长河的旅行。每翻过一页，时间就向前跳跃几天、几年、几个世纪，甚至数万年。每个时刻——也就是旅行中的每一站，都是相关主题的一个篇章。

★ **科学性** 每本书都以时间为主线，通过细致入微的手绘和通俗严谨的语言讲述各个主题的历史变迁。每一页都有标示时间的"拇指索引"，显示宏大场景的图中还有很多名词术语的标注。书后还附有名词解释和索引，方便小读者们检索和查询。

★ **趣味性** 《穿越时空》系列书不像通常意义的历史书或科普书那样单调乏味，设计者运用了很多细节来增强趣味性。主题单纯，容易让你专心探究；以时间为序，让你有穿越时空的探秘兴趣。每本书每幅画面上都有一个角色作线索，且角色与画面场景融合，这样一种藏宝图般的设计，能激发你的好奇心，带领你更进一步地深入探索。

★ **图画细致精美** 本系列的每一本书的画面都气势恢弘，场面宏大，很具观赏性，同时又相当细致，画中即使有几十个人物，也能做到个个栩栩如生，都有不同的动作和表情。很多建筑都进行局部切开，方便看到内部结构。这样的剖面图设计，可以培养你的审美能力和立体感。

★ **语言娓娓动听** 本系列均由英美文学专业硕士翻译，北师大英美文学博士导师审定，语言流畅，娓娓动听，与图画相得益彰，让你有穿越时空、身临其境之感。其中很多名词术语都经过译者和编辑仔细核实和反复推敲，保证了在科学性的基础上达到很高的文学性。

Youpi 小百科系列（10本 全彩）

"Youpi" 是法语中小孩表示兴奋的惊叹词，相当于"哇，真棒！" Youpi 小百科系列是法国最受欢迎的儿童百科读物。书中包含了丰富的动物、植物、自然、科技等内容，带领小读者观察世界，学习各种好玩而又实用的知识。每一本书都包含六个主题，通过拉页的方式，让小读者们惊喜地发现其中隐藏的有趣知识，也可以满足小朋友动手体验的渴望，激发探索事物的好奇心。

丰富有趣的内容，是探索科学的最佳读物

你知道长颈鹿的舌头是黑色的吗？抹香鲸能潜入海洋最深处，是最棒的潜水冠军呢！你注意到水有可能在空中跳跃吗？中世纪的骑士如何比武？未来的汽车是什么样子？Youpi 系列用最简单、最有趣的方式，带领小读者了解世界的秘密。

独特的编排设计，激发探索的欲望

在每一本书中，醒目的主题图片都呈现在两个单页上，双手拉开这两个单页，就会惊喜的发现里面相连的四页中藏着丰富有趣的知识。

生动精采的图文，好玩有益的实验，让你手脑并用

每一个主题都搭配大量的图画，用写实的画法或者精致的照片，将每一个主题最重要的特点完整地表现出来。文字简洁幽默，让小读者轻松吸收相关信息。在每个主题的最后一页，以幽默可爱的漫画进行更详细的补充，用生活中的常见物品来讨论与主题相关的常识，非常容易理解；同时，也安排了简易有趣的小实验，让你可以动手操作，比如：怎样给鸟儿制作鸟巢，怎样让下沉的物体上浮等等。

好玩 实用

激发 探索

请在这儿写下你与昆虫之间的故事吧：